面粉
牛奶
橄榄油
花生酱

献给　安娜

好想去旅行

·意大利·

[波兰] 莫妮卡·乌特尼克–斯特鲁加瓦 著
[波兰] 安娜·瓦德兹卡 绘
刘桐羽 译

中信出版集团 | 北京

欢迎来到意大利

意大利是一个“任性”的国家，常常引人产生许多疑惑。意大利拥有灿烂的文化，是欧洲文艺复兴的发祥地，达·芬奇、米开朗琪罗都曾生活在这里。意大利还有令人陶醉的美景和丰富多样的美食，比萨、意大利面风靡世界。

如果有人对你说：“我们去意大利吧！”那可真是一个让人兴奋的提议。

意大利包括亚平宁半岛及西西里、撒丁等岛屿。柏树和松树耸立于海岸线，柠檬树和橄榄树生长在蜿蜒的道路旁。春天，夹竹桃花和多刺仙人掌花肆意绽放，丰富了春色；冬天，西西里岛上成熟的柑橘散发出阵阵果香。

意大利的国土面积约 30 万平方千米，人口数量超过 6000 万。在意大利不算辽阔的土地上却有许多古迹，差不多半个欧洲的古迹都在这里。这没什么好奇怪的，毕竟意大利有 2700 多年的历史呢。

罗马城建立在台伯河岸边。城中居民创立了城邦，并将其逐渐发展成罗马帝国。从非洲北部沿海到大不列颠岛，从西班牙到土耳其，都曾是强大的罗马帝国的疆土。

后来，罗马帝国四分五裂，亚平宁半岛上建立起许多王国、公国和一些封建领地。如今的意大利是一个共和国，首都是罗马，总统为国家元首。

走！让我们继续了解迷人的意大利！带着欧元（和很多欧洲国家一样，意大利使用的货币也是欧元）和地图，一路向南。

那么，我们去做些什么好呢？品尝比萨和意大利面，划贡多拉船，登比萨斜塔，与米开朗琪罗一起作画，与意大利国家男子足球队一起射门。在意大利，你永远不会感到无趣。

祝你旅途愉快！

3.
多洛米蒂山
2.加尔达湖
7.维罗纳
6.米兰
1.都灵
亚
5.热那亚
Santa Maria
10.博洛
利
9.维亚雷焦
13.比萨
11.
佛罗伦萨
14.基安
地
撒
丁
岛
21.维拉奇德罗
中
海
23特拉

意大利

首都：**罗马**

面积：**301 333 平方千米**

人口：**约 6040 万**

通用语言：**意大利语**

1. 

都灵 ——萨芭雍（一种甜品）和菲亚特汽车的产地。

2. 

加尔达湖 ——意大利最大的湖泊，帆板冲浪比赛地。

3. 

多洛米蒂山 ——滑雪者的天堂，最高峰为马尔莫拉达峰（约3342米）。

4. 

穆拉诺岛 ——由桥梁连接的七座岛，位于威尼斯附近；必买纪念品：玻璃花瓶。

5. 

热那亚 ——美洲发现者、航海家、旅行家克里斯托弗·哥伦布的出生地。

6. 

米兰 ——时尚之都。蒙特拿破仑大街和史皮卡大道可以满足你的一切购物需求。

7. 

维罗纳 ——情侣必游城市，罗密欧和朱丽叶的故乡。

8. 

威尼斯 ——蜚声世界的水上之城，约在每年2月会举行盛大的面具嘉年华。

9. 

维亚雷焦 ——海滨休闲度假胜地，以辽阔的海滩和年代久远的旅店为特色。

10. 

博洛尼亚、摩德纳、帕尔马 ——三大美食之城，博洛尼亚的意大利饺子和熏香肠、摩德纳香醋、帕尔马火腿。

11. 

佛罗伦萨 ——绘画爱好者的胜地，在乌菲齐美术馆可以欣赏到许多世界名画。

12. 

圣马力诺共和国 ——因三角形的邮票而出名。

13. 

比萨 ——比萨斜塔坐落于此。

14. 

基安蒂 ——这里风景如画，种植着大面积的葡萄，是世界驰名红酒——基安蒂酒的产地。

15. 

罗马 —— 意大利首都。相传，罗慕路斯在 2700 多年前建立了罗马城。

16. 

梵蒂冈城国 —— 世界上面积最小的国家。

17. 

阿布鲁佐国家公园 —— 峰峦险峻，树木葱郁，河流清澈，野生动物自由自在地生活在这里。

18. 

庞贝 —— 毁于维苏威火山喷发的古城，在厚重的火山灰下长眠超过 1900 年。

19. 

维苏威火山 —— 被誉为欧洲最危险的火山，最近一次喷发是在 1944 年，现仍在活动中。

20. 

巴里 —— 波兰王后博纳 · 斯福尔扎的故乡。她将意大利的蔬菜带到波兰，这些蔬菜成为制作波兰汤羹的主要食材。

21. 

维拉奇德罗 —— 位于撒丁岛，相传有女巫居住在这里。

22. 

那不勒斯 —— 最著名的意大利歌曲《我的太阳》创作于此。

23. 

特拉帕尼 —— 金枪鱼爱好者的圣地。

24. 

柯里昂镇 —— 西西里岛的一个美丽小镇，也是电影《教父》中柯里昂先生的出生地。

25. 

巴勒莫 —— 西西里岛的主要港口城市。在有着几百年历史的著名的武奇利亚集市上，可以买到当地特色的鱼、水果和蔬菜。

26. 

埃特纳火山 —— 欧洲最高的活火山，也是世界上喷发次数最多的火山。喷出的岩浆凝固后，又增加了火山的高度。因此它的高度（大约 3300 米）一直在变化。

27. 

阿格里真托 ——2500 年前的神庙遗址就坐落于此。

目录

8

带马刺的靴子 1

你会说意大利语吗？ 4

直达罗马 8

大角斗场 12

世界上面积最小的国家 16

教堂中的裸体 21

电影明星 24

涂在吐司上的巧克力酱 28

交错的“G” 32

浓缩咖啡 35

一座宫殿都换不来的小提琴 38

浪漫永恒 40

河上的“豪华轿车” 42

水漫威尼斯，雨靴最时尚 46

假面舞会 48

盘子上的画家 54

嘿，卡萨诺瓦！ 56

舌尖上的博洛尼亚 58
“但是地球就是在转动啊！” 64
立正，比萨斜塔！ 68
车轮上的动物园 70
来支冰激凌凉爽一夏吧 75
天才中的天才 78
“黑公鸡”红酒 82
公主带来的蔬菜 86
哦，玛格丽特！ 90
太阳之歌 94
有面万事足 98
叉子的历史 100
蓝衣军团，射门！ 102
喷发的火山 106
柯里昂先生 110
人间美味橄榄油 112
白色小丑 114
午休时间 118

意大利语小词典 120
美食小菜谱 125

带马刺的靴子

在报纸上，经常能看见“欧洲之靴意大利”或“周游靴子国意大利”之类的说法。这是什么意思呢？为什么说意大利是一只靴子？这么多人怎么“挤”进一只靴子里？人们又是如何在靴子里旅行的呢？

别着急，马上就为大家答疑解惑。“意大利靴子”只是一种比喻，因为意大利版图的形状像一只高筒靴：亚平宁半岛的纵向部分是靴筒，小巧的加尔加诺半岛是马刺，细长的东南角是鞋跟，西南角是鞋尖，西西里岛则像鞋尖对着的一只皮球。而撒丁岛离这只靴子有点远了。

最好不要穿着这只“靴子”出门，因为这实在是一只“复古”的靴子：在靴筒顶端有三点“水渍”（意大利最大的三个湖泊：马焦雷湖、科莫湖和加尔达湖），“水渍”下方是一条长长的“裂缝”（全长652千米的波河），靴筒上绵延着奇异的凸起（亚平宁山脉），这些凸起让“靴子”看起来像是被戳得千疮百孔似的。

意大利分为20个行政区。伦巴第大区、利古里亚大区和托斯卡纳大区在北部，这三个大区分布着许多工厂和大理石矿区；坎帕尼亚大区和卡拉布里亚大区在南部，农业是这里的经济支柱。有些大区位于多山地带，比如皮埃蒙特大区；有些大区位于平原地带，比如罗马所在的拉齐奥大区；还有一些大区拥有美丽的海湾和沙滩，比如有着布满岩石的海岸的普利亚大区。

意大利有许多岛屿。西西里岛是地中海最大的岛屿，盛产甜美多汁的柑橘、香醇浓厚的咖啡和莫斯卡托甜葡萄酒。从那不勒斯的港口出发，可以到达好莱坞明星们最爱的度假地——卡普里岛。意大利最南端的岛屿是兰佩杜萨岛，它离非洲很近，人们戏称，在兰佩杜萨岛上扔石头，能直接扔到非洲的土地上。

阿尔卑斯山
多洛米蒂山
瓦莱·达奥斯塔大区
马焦雷湖
科莫湖
加尔达湖
特伦蒂诺-上阿迪杰大区
弗留利-威尼斯·朱利亚大区
伦巴第大区
皮埃蒙特大区
威内托大区
波河
利古里亚大区
艾米利亚-罗马涅大区
亚
得
里
亚
海
圣马力诺共和国
阿诺河
亚平宁半岛
托斯卡纳大区
台伯河
翁布里亚大区
马尔凯大区
厄尔巴岛
梵蒂冈城国
阿布鲁佐大区
加尔加诺半岛
拉齐奥大区
莫利塞大区
撒丁岛
坎帕尼亚大区
普利亚大区
卡普里岛
巴西利卡塔大区
卡拉布里亚大区
埃特纳火山
西西里岛
中
海
兰佩杜萨岛

你会说意大利语吗？

来自不同大区的意大利人在聊天的时候，经常听不懂对方的话。比如，“西瓜”在米兰和西西里的叫法就完全不同。

为什么生活在同一个国家的人，交流起来还会这么难呢？这是因为在意大利建立之前，亚平宁半岛上邦国林立，各国使用的都是从拉丁语演变过来的语言，在演变过程中，各国语言差别越来越大。在意大利，靠阿尔卑斯山的一些大区，方言与德语相似；南部一些大区，有的曾经被西班牙统治，方言则有西班牙语的影子；有的大区与希腊贸易往来频繁，方言则有一点儿希腊语的味道；有的方言还与阿拉伯语有点关系。

直到 17 世纪初，佛罗伦萨的学者们才总结出通用的意大利语语法和词汇。佛罗伦萨文化气息浓厚，是文艺复兴时期文学代表人物但丁、彼特拉克和薄伽丘的故乡。在日常生活中，意大利人还是习惯用方言交流。

在工作中，意大利人会使用通用的意大利语。但是回到家里，他们就又开始使用五花八门的方言了。

在意大利，除了“西瓜”，还有很多词在不同的地方有不同的叫法。比如“苹果”，在西西里的叫法和在撒丁岛的叫法不同；而那不勒斯人对花瓶的称呼则和罗马人不同。

圣天使城堡
梵蒂冈城国
纳沃纳广场
罗马
地图
特拉斯
提弗列

西班牙台阶
特雷维喷泉
维托里奥·埃马纽埃尔雕像
万神殿
罗马广场
罗马大角斗场

直达罗马

我们经常用“条条大路通罗马”这句谚语，形容用不同的方法解决同一个问题。但是，为什么是通往意大利首都罗马，而不是其他城市呢?

2000 多年前，现在的意大利所在地是罗马帝国的中心。庞大的罗马帝国占据着两河流域和非洲的部分地区，以及几乎整个欧洲，它的首都罗马是当时世界上最重要的城市。

为了更好地管理辽阔的疆域，快速传递信息，方便商人运送货物，罗马人修建了总长度超过 8 万千米的硬面公路，这些古老公路的一些路段至今仍在使用。

最宽的公路甚至可达 15 米，其余的公路宽度一般不超过 5 米。主干道旁边铺有供行人走的小路，路边设有许多客栈和驿站，有的地方还摆放着方便马车停靠的巨石。

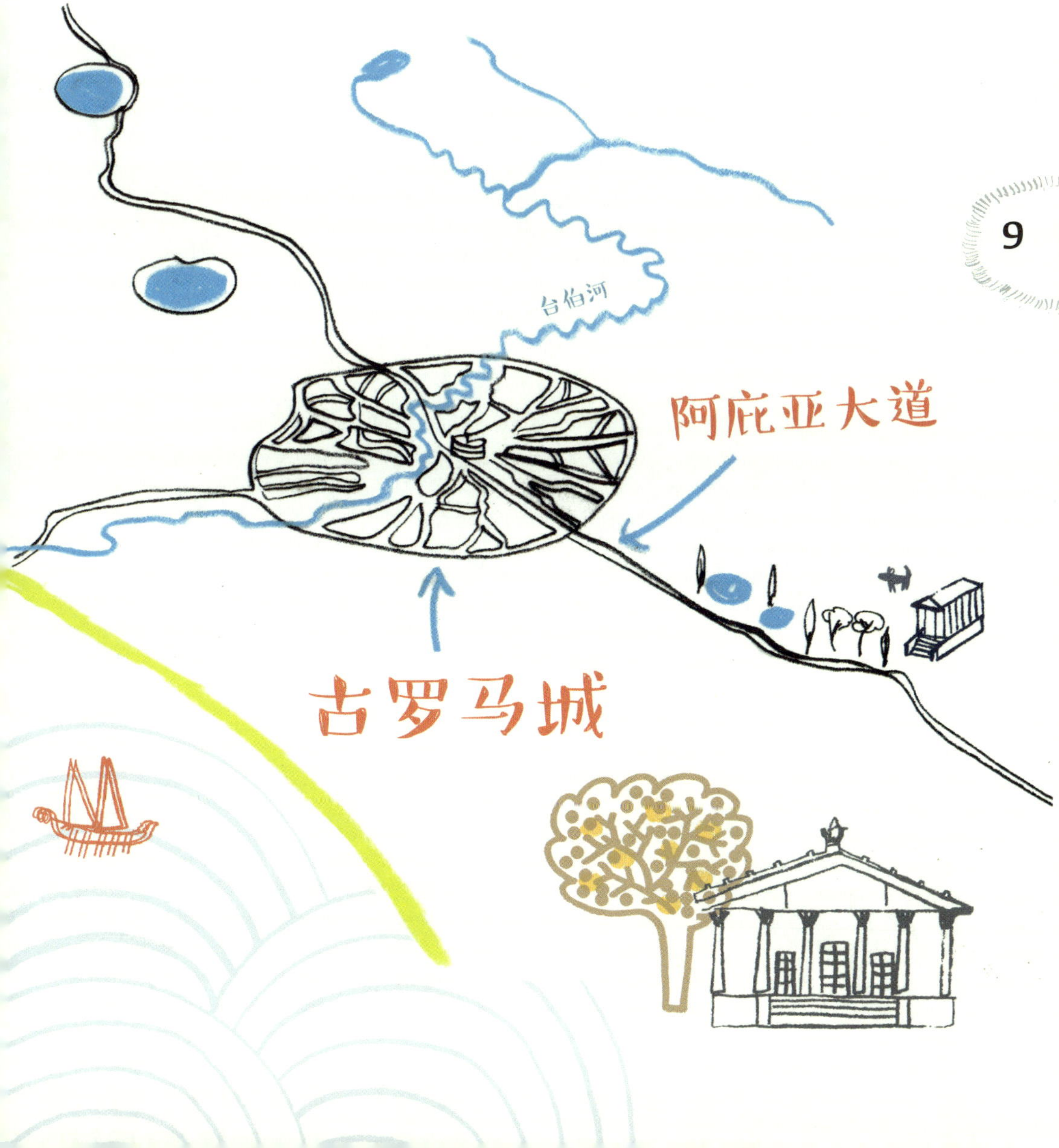

从古罗马城向东南延伸的阿庇亚大道，将古罗马城与帝国北部连接起来的弗拉米尼亚大道，以及运输亚得里亚海盐的萨拉利亚大道（盐之路），是罗马帝国最重要的三条公路。它们最终交会于罗马的主广场——古罗马广场。因此不论从哪里出发，都可以到达罗马。

里程碑，常用来比喻在历史发展过程中可作为标志的大事。比如车轮的发明，就可以称为人类历史发展中的里程碑。但这并不是“里程碑”的最初含义。

古罗马时期，里程碑通常用来标记从一个地方到古罗马城或是最近的大城市的距离。每隔一罗马里（约1478.5 米）就能看见一个里程碑，它的功能与今天的路边指示牌相似。最重要的里程碑位于古罗马广场，它的碑上覆有镀金板，顶端放置着一个金球，因此人们将其称为“金色里程碑”，其他里程碑到罗马的距离都是以它为起点测量的。

大角斗场

古罗马城的中心，如今一片凌乱：倾倒的石柱，裸露的地基，随处可见的断壁残垣。这是建筑工地吗？还是被旋风袭击了？都不是。这里曾是古罗马时代的城市中心——古罗马广场。

古时候没有电视也没有报纸，广场就成了打听新鲜趣闻的最好去处。人们在寺庙和宫殿的阴凉下闲聊、散步，或站在讲坛前聆听政客们发表言论。古罗马城里的建筑宏伟高大、装饰华美，但是保留至今的只有一小部分。

值得庆幸的是，有一座建筑相对完整地保存了下来，它就是矗立在古罗马广场附近的罗马大角斗场，也叫科洛西姆竞技场。这里可不是踢足球的地方。在角斗场，罗马人观看奴隶（角

斗士）和猛兽搏斗；他们甚至将水引入表演区，进行海战表演。

离罗马大角斗场不远的地方，曾经伫立着罗马皇帝尼禄的巨大雕像。因“科洛西姆”的拉丁语语意为“巨大的雕像”，罗马人便以此命名大角斗场。

罗马大角斗场可以容纳超过 5 万人，底层有 80 个拱门可供人们进入。在地下，设有地窖、兽笼、特殊通道和服务于竞技场的悬索。烈日当空或阴雨不绝的时候，悬索就会将防水布做的活动天篷移动到观众头上，为他们遮阳挡雨。

罗马大角斗场并非一直都这样灰扑扑的。很久之前，角斗场墙壁上覆有白色的大理石。现在墙上那些明显的孔洞，就是当年悬挂大理石的铁钩留下的痕迹。大约500年前，这些珍贵的大理石被悉数拆下，用来建造其他的建筑，比如圣彼得大教堂。前不久，在罗马大角斗场里还发现了湿壁画——绘制在新涂的、还湿润的石灰泥壁上的彩色壁画。

传说，罗马城建立于公元前753年，创建者是罗慕路斯。拉丁语和意大利语中的“罗马”（Roma）一词就是取自罗慕路斯（Romulus）的名字。相传，罗慕路斯和他的弟弟勒莫斯由母狼哺乳，被牧人养大，因此这头母狼就成了罗马城的象征，在卡比托利欧山上的博物馆里还伫立着它的雕塑。

罗慕路斯
和
勒莫斯
罗马大角斗场

世界上面积最小的国家

去意大利旅行的人大都会去参观圣彼得大教堂。圣彼得大教堂是世界上最大的天主教堂，游客进入前必须通过安检。虽然有电梯，但想要登上高高的教堂圆顶，还必须再徒步登上320级曲折狭窄的楼梯。这可是很累人的！不过，在圆顶上看到的风景足以慰藉这番辛苦：红色海洋般连绵起伏的屋顶，被巨大石柱包围的广场，长满葱郁松树和柏树的花园……

奇怪的是，圣彼得大教堂和旁边的花园由一道墙壁围起来了，这里为什么与其他地方隔开了呢？古时候，围墙意味着城市的边界。在一个首都——如此重要的城市，内部怎么会出现这样的景象呢？

被意大利的国土包围的，还有一个很小的国家——圣马力诺共和国。圣马力诺是世界上最古老的共和国，创立于公元 301 年，它的名字来源于其创立者圣马力诺斯。圣马力诺因三角形的邮票而出名，对于收藏家来说，这些邮票非常具有收藏价值。

圣彼得大教堂

事实上，这里已经不是罗马了，而是梵蒂冈城国。虽然被意大利环绕，但梵蒂冈城国是一个独立的主权国家，拥有自己的银行、邮政、电台、电视台、报纸、消防队、加油站，甚至还有一个小小的火车站。这里的国民主要是神职人员。

梵蒂冈是世界上面积最小的国家，游览全国只需要一个小时，但是非常值得一游。梵蒂冈这个名字来自拉丁语，大意为“先知之地”，据此推测似乎是说古代人都会来到这里预测自己的未来。如今，梵蒂冈成了全世界天主教徒朝圣之地，很多人不远万里来到这里,只为在圣彼得大教堂做礼拜和拜见教皇。

教皇是梵蒂冈城国的国家元首，也是天主教徒的精神领袖，通常由意大利人担任。但是约 40 年前，来自波兰的红衣主教卡罗尔·沃伊蒂瓦被选为教皇，成为第一个担任教皇的斯拉夫人，随后其改名为约翰·保罗二世。他经常出访，喜欢与年轻人交谈，接见政治家或平民，为世界和平做出了很大贡献。

教堂中的裸体

教皇去世后，世界各地的红衣主教（枢机主教，天主教的最高级别神职人员）都要齐聚梵蒂冈，选出新的教皇。投票表决在圣彼得大教堂旁边的西斯廷教堂举行。西斯廷教堂最初是教皇西斯都四世的私人礼拜场所，建于500多年前，名字源于教皇之名“西斯都”。在西斯廷教堂，最出名的要数米开朗琪罗的壁画。然而，大画家米开朗琪罗却不喜欢这份工作。

米开朗琪罗一直以雕塑家自居。教皇尤利乌斯二世委任他为西斯廷教堂绘制天顶壁画，他使出浑身解数想要推托，但是教皇坚持不让步。米开朗琪罗无法拒绝，不情愿地接受了这份工作。

他开始构思一个宏大的计划，在壁画上画满肌肉线条优美的人物，从上帝创造世界画到大洪水来临。因为要在天顶上作画，所以工作时他必须躺在架子上。虽然有很多助手，但米开朗琪罗还是画了4年多时间。20多年后，他又受到教皇克雷芒七世的委托，在西斯廷教堂祭坛上方的主墙上画《最后的审判》。为此米开朗琪罗再次搁置了自己的雕塑事业，一画就是6年。在他绘制的壁画中，包括耶稣在内的所有人都没有蓄须，这在当时是十分少见的。

《最后的审判》引起了极大的轰动，但也饱受争议。有的人表示欣赏，因为画中所有人物都栩栩如生；也有人认为，教堂的壁画上不应该出现这么多裸体人物。如果米开朗琪罗知道他的壁画在今天成了全世界交口称赞的杰作，该有多么惊讶呀！

米开朗琪罗痴迷于人类的身体，并做了多年研究。为了了解人的肌肉和骨骼的构造，他甚至秘密地进行了解剖，要知道解剖在当时是被禁止的。不过，这也是为什么他能够在壁画中如此完美地表现人体。但是，不懂欣赏的也大有人在。数年后，教皇保罗四世认为教堂中不应该出现这么多裸体人像，于是命令达尼埃莱·达·沃尔泰拉在这些裸体人像的髋部画上遮羞布，这位倒霉的画家从此被戏称为“裤子画家”。后来，这些壁画得以修复，部分遮羞布被去掉。

电影明星

罗马，午夜，一对俊男美女。女人穿着黑色的晚礼服，男人穿着西服。女人发现了一只小白猫，便请求男人给它弄一点儿牛奶。她一边等待男人带牛奶回来，一边在狭窄的小街上漫步。最后，她走进了一个小广场，广场上有一个美丽的大喷泉。男人回来了，她呼唤着他，男人便向她走去。四周一片安静，只能听见他们的喃喃低语……

50 多年前，这个喷泉在费德里科·费里尼执导的电影《甜蜜的生活》中出镜，并因此被载入电影史册。主演这经典一幕的有金发美女安妮塔·艾克伯格、英俊的马塞洛·马斯楚安尼和……特雷维喷泉。

穿过狭窄的小巷，才能“柳暗花明”，欣赏到特雷维喷泉。巨大的喷泉几乎占据了整个小广场。喷泉中间伫立着罗马海神尼普顿的雕像，他乘坐着由两个非鱼非马的奇异生物所拉的车驾，一只安静温顺，另一只正在嘶鸣扬蹄。海神的车驾停驻在岩石海岸的边缘，仿佛马上就要落入水中。

传说，只要将一枚硬币扔进这个喷泉，那么终有一天扔硬币的人会再次回到罗马。于是游客络绎不绝地来到喷泉旁投币，水池底的硬币也越来越多。但总有一些贪财的人长年来这里偷捞硬币，因此环卫工人会定期打捞，并把它们分给穷人。

千万不要模仿费里尼电影里的主角——如果你真的跳进喷泉里，会被警察狠狠地惩罚。但也有例外：2006 年，意大利国家男子足球队赢得德国世界杯冠军，比赛结束后，兴奋的球迷们纷纷跳入喷泉，警察对这些被喜悦冲昏头脑的球迷睁一只眼闭一只眼，默许他们尽情狂欢。

POSTA
POSTE
REPVBBLICA

除了特雷维喷泉，意大利还有一个非常有名的喷泉：纳沃纳广场上的四河喷泉。四河喷泉上有四座巨大的人体雕像，分别代表世界上四条大河——尼罗河、多瑙河、拉普拉塔河和恒河，而这四条河又分别代表了孕育人类文明的四个大洲：非洲、欧洲、美洲和亚洲。在罗马城的中心，高大的西班牙台阶的尽头，是巴尔卡恰喷泉。由于喷泉中心有一座半沉渔船雕塑，它又被称为破船喷泉。400 多年前，台伯河洪水泛滥，一艘渔船被冲到广场上，这艘渔船就是破船雕塑的原型。

涂在吐司上的巧克力酱

有时候，竞争对于事物的发展能够起到很好的促进作用。60 多年前，为了打败美国的坚果酱，意大利人决定研制一种和坚果酱一样好吃的甜酱。在意大利西北部的皮埃蒙特大区，一家巧克力工厂的创始人约翰和彼得·费列罗兄弟，将可可和榛子混合在一起做成了榛子酱——能多益（Nutella）。其中“nut”代表原材料“榛子”，“ella”是意大利语中一个发音动听的后缀。就这样，能多益榛子酱诞生了。

皮埃蒙特大区不仅出产美味的能多益榛子酱，还是其他美食的故乡，比如用蛋黄、甜酒和板栗做的奶油。虽然今天瑞士巧克力名满天下，但世界上第一块榛仁牛奶巧克力是在皮埃蒙特诞生的。约 150 年前，第一块榛仁牛奶巧克力诞生于皮埃蒙特的首府都灵，但它的出现却是一个阴差阳错的意外。甜点师卡法雷利只剩下不多的可可粉，而且到处都买不到新的，于是只能在现有的可可粉中按照一比一的比例掺入碎榛仁，做成三角形的巧克力，用锡纸包装起来。这款榛仁牛奶巧克力名为吉安杜奥提，名字来源于意大利即兴喜剧中的角色吉安杜佳。

皮埃蒙特不仅是美食爱好者的必游之地，更是汽车爱好者的天堂。100 多年前，第一辆菲亚特汽车在都灵诞生，在机动车博物馆还可以参观菲亚特的古董车。在都灵大教堂里，保存着一件曾引起巨大争论的遗物——耶稣圣体的裹尸布。

皮埃蒙特的硬面包棍阿拉棒也十分出名。传说，约300年前，大公维克多·艾玛迪斯二世常常受消化不良的困扰，医生建议他只食用面包的外皮。但是身为君主怎么能做出吃面包皮这样不优雅的事呢？聪明的宫廷烘焙师安东尼奥·布鲁内罗用匀称香脆的小面包棍，为君主解决了无法优雅食用面包皮的难题。

能多益

交错的“G”

古奇欧 古驰

你见过带有两个交错的“G”标志的鞋子、皮包、围巾或眼镜吗？这两个“G”是约100年前一个意大利人姓名的首字母，他在佛罗伦萨创立的品牌（古驰）如今已成为世界著名品牌之一，他就是古奇欧·古驰（Guccio Gucci）。

幼年时代，古奇欧曾帮助自己的父亲制作帽子，但他并不喜欢这个工作。每天晚上，他都会跑去萨维亚普瑞斯普酒店欣赏举止优雅的门童。有一天，他问门童：“怎样才能成为门童？”门童回答说：“去伦敦的萨沃伊酒店试试吧。”

几年之后，古奇欧才实现了自己的梦想。他找到了萨沃伊酒店，对前台的接待人员说他想做门童，没有人理他，然而他很执着，每天都去求职。一个月之后，酒店的老板终于答应了他，但只给了他一份刷盘子的工作。

古奇欧做事认真负责，很快就得到升职，去给富有的客人擦鞋。他在给家人的信中写道：“他们的皮鞋如此优雅，他们的旅行箱如此巨大。”从那时起，他就下定决心，将来自己也要做出这样的旅行箱。

后来，古奇欧回到故乡佛罗伦萨结了婚，为了维持生计，他几乎做过所有的工作：专职司机、厨师、铁匠、信差……他尽可能地存钱，几年之后终于拥有了自己的第一家店。他做的旅行箱精致耐用，因此生意兴隆。古奇欧赚了很多钱，于是开始制作皮包、皮鞋和服装，连最有名的演员和王室成员都去他的店里购物。如今，他创立的品牌依然受到明星们的喜爱，几乎每个好莱坞明星都有古驰的皮包或者眼镜。

时尚之都米兰，是每一个时装爱好者的购物天堂。在米兰最奢华的蒙特拿破仑大街和史皮卡大道上，可以看到阿玛尼、菲拉格慕和华伦天奴等著名时尚品牌的店铺。

路易吉·贝泽拉

浓缩咖啡

全世界哪儿的咖啡最好喝？当然是意大利了。如今，我们能喝到经典的意大利浓缩咖啡，还要感谢那个对员工不满的老板。

100 多年前，米兰人路易吉·贝泽拉经营一家举步维艰的小工厂。但如果还想继续经营下去，他就必须找到问题，做出改变。路易吉冥思苦想，最后认为工厂运转得不好，是因为工人们休息时喝咖啡的时间太长，导致工作的时间变短，工厂赚的钱也就越来越少。解决这一问题的唯一办法，就是发明一台快速冲泡咖啡的机器。

说干就干，路易吉马上投入发明快速咖啡机的工作中，不久，他的发明就问世了。虽然这个咖啡机很笨重，但是能够满足路易吉的设计需要(当然，这项发明并不受他的员工们欢迎)。咖啡的冲泡时间被缩短了一半，路易吉也因此被誉为“现代快速咖啡机之父”，并载入史册。由于新机器冲泡咖啡速度很快，所以人们将这种咖啡称为快速咖啡（因为其浓度很高，所以又有浓缩咖啡之称）。不过，如今意大利人买浓缩咖啡时很少说它的全名，通常只是说：“我要买咖啡。”

浓缩咖啡浓度很高，几乎没有人能一口气喝下去一大杯，因此都是盛在小咖啡杯里出售，还会附赠一杯水。一杯地道的浓缩咖啡，标志是咖啡上面堆着一层细密的褐色奶泡。

拿铁咖啡

牛奶含量较高的浓缩咖啡。

卡布奇诺

带有绵密奶泡的浓缩咖啡。这种咖啡呈深褐色，看起来很像修士穿的长袍的颜色，因此人们给这种咖啡取名卡布奇诺。

拿铁玛奇朵

意大利语中，“拿铁”意为“牛奶”，“玛奇朵”意为“被染色的”。顾名思义，拿铁玛奇朵中牛奶含量极高，浓缩咖啡则很少，这种咖啡通常是为孩子们准备的。

特浓咖啡

浓缩程度最高的咖啡，制作特浓咖啡的水量仅仅是制作浓缩咖啡水量的二分之一。

路易吉·贝泽拉的巨型咖啡机

一座宫殿都换不来的小提琴

大卫·葛瑞特是世界上最有才华的小提琴新星之一。几年前，他在演奏结束后走下舞台的时候，不小心被台阶绊倒，把心爱的小提琴摔坏了。

“我失去了最好的朋友。”大卫神色忧伤地说道。这个不幸的消息很快传遍了全世界。

葛瑞特的小提琴有什么与众不同之处呢？这把小提琴经历了近 250 年的岁月，但音色依旧完美如初。它的制作者是历史上最杰出的意大利弦乐器大师乔瓦尼·巴蒂斯塔·瓜达格尼尼，用一座宫殿都换不来这把小提琴。

值得庆幸的是，经过长达数月的精心修复，这把小提琴最终被修好了。但是从 2010 年开始，大卫就使用另一把小提琴了。他的新宠是一把斯特拉迪瓦

尼科罗·帕格尼尼

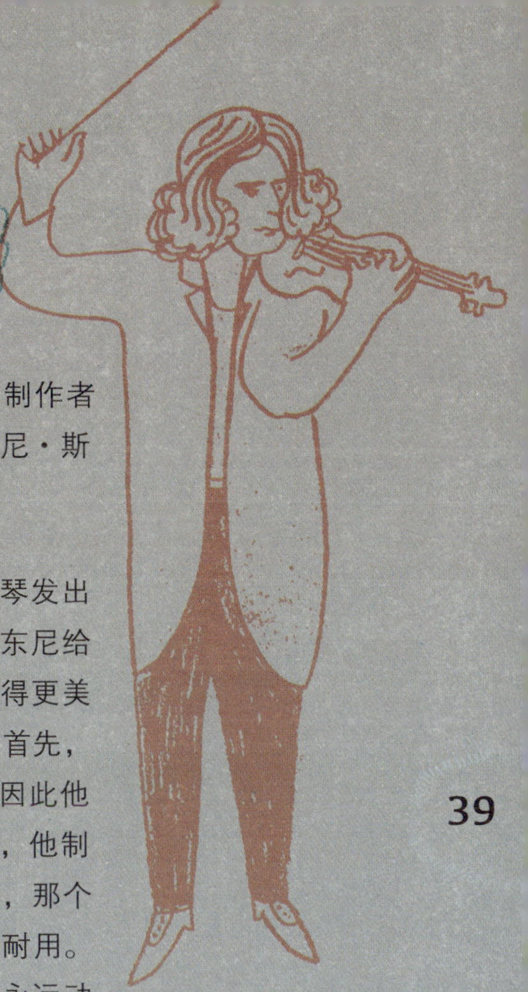

里小提琴，也是不可多得的珍品，制作者是著名的弦乐器制作大师——安东尼·斯特拉迪瓦里。

安东尼有什么秘诀，能让小提琴发出如此优美的声音？曾有人怀疑，安东尼给他的小提琴施了一种可以让音色变得更美的魔法。其实原因并没有这么玄妙。首先，安东尼年轻的时候曾经学过雕塑，因此他能够做出外形流畅优雅的琴。其次，他制作小提琴的木材来自小冰期的树木，那个时期气温大幅下降，木材更加结实耐用。最后，他的防水工艺让小提琴音色永远动听如初。“弥赛亚”是安东尼最著名的作品之一，现存于英国阿什莫林博物馆。

安东尼赋予了小提琴完美的外形和音色，而 200 多年前意大利天才小提琴家尼科罗·帕格尼尼的演奏，则赋予了斯特拉迪瓦里的小提琴第二次生命。有人说，帕格尼尼的演奏有一种让听众沉醉其中、无法自拔的魔力。实际上，这都是帕格尼尼刻苦练习的结果。帕格尼尼很小就开始练习小提琴，除此之外，他凹陷的锁骨更有利于支撑小提琴，格外修长的手指也非常适合演奏小提琴。

浪漫永恒

维罗纳城的凯佩罗大街上，人潮涌动。凯佩罗大街 23 号前的庭院里站着许多拿着相机的男士，他们的恋人在高高的阳台上向他们挥手。女士们都梦想着，有一天自己能够站在这里向爱人伸出手。为什么偏偏是在这座宅邸，尤其是在这个拥挤的阳台上呢?

400 多年前，英国戏剧作家威廉·莎士比亚创作了一部戏剧作品——《罗密欧与朱丽叶》。这个凄美感人的爱情故事就发生在维罗纳城，因此越来越多的游客来到这座城市寻访他们最爱的男女主角的足迹。

凯佩罗大街上这座曾经属于凯佩罗家族的宅邸，让维罗纳人联想到朱丽叶的姓氏凯普莱特，于是他们认为这座宅邸曾经是朱丽叶的家。

罗密欧和朱丽叶在舞会上相逢，一见钟情。然而他们两人的家族却有世仇，虽然没有人清楚到底因为什么而结仇。罗密欧和朱丽叶被禁止见面，他们的父母对两人恋情的反对导致悲剧发生。这个故事给我们带来一个教训：争吵永远无法解决任何问题。

如果参观这栋坐落于凯佩罗大街的宅邸，你会发现一个站在阳台下方的女孩雕像，传说触摸雕像会为爱情带来好运。罗密欧的家也值得一游，就在不远处的斯卡利杰雷拱门大街上，门牌号是 2–4，只不过不能入内参观。门口有一块不起眼的小牌子，上面写道：罗密欧又在何方？

你有烦心事吗？如果有的话，可以给朱丽叶俱乐部（www.julietclub.com）写邮件（info@julietclub.com）。这个俱乐部的成员都是年轻女孩，能尽力帮求助者解决困难。每年，她们都会从来信中选出装饰得最漂亮的一封，在情人节这天为这封信的主人颁发“亲爱的朱丽叶”奖。

河上的“豪华轿车”

这座城市上演着在其他城市看不到的奇景：这里的“街道”是运河，这里的“人行道”是小桥，这里的“汽车”是小船。数不清的小桥连接着 118 座岛，桥与岛共同组成了这个奇妙的城市——威尼斯。数百万根木桩数百年如一日地支撑着这座城市的住家、商店和作坊。

威尼斯没有堵车现象，因为居民们外出时或步行，或乘坐水上巴士（一种摆渡船）。如果要去参加舞会或看戏，人们则会选择乘坐更高档优雅的贡多拉。

贡多拉号称“渡船中的豪华轿车”。划贡多拉的船夫身穿横条纹衫，头戴草帽，不停地划动固定在船身右侧的桨。为什么只划动一侧的桨，船却不会偏离方向？这是因为贡多拉左侧船舷较高，船体稍稍向右倾斜，行驶中也会向右偏转，当船夫划动右侧船桨时，贡多拉就会向正前方行进。

还有一种跟贡多拉相像的渡船，可以看作是没有座位的贡多拉。这种渡船最多能载 8 名乘客，所有乘客都要站着。它仅在威尼斯大运河的两岸之间往返，比其他渡船的航程要短很多。

还有一个奇怪的现象：贡多拉船夫站在船尾，船头空无一人，船却不会翻，这又是为什么呢？这是因为船头安装着一个和一名成年男性一样重的铁配件，以保持船头和船尾的平衡。

尽管贡多拉看起来像个脆弱的果壳，但实际上十分坚固耐用。它由用 8 种木材制成的 280 个零件组成，座位上包着红丝绒，优雅舒适。船体颜色遵循传统，通身漆黑——古时候贡多拉的封层涂料是黑色的沥青。

水漫威尼斯，雨靴最时尚

意大利大部分时间都阳光明媚，人们穿雨靴的机会很少。但在威尼斯的秋天，雨靴却是出门必备品。这并非因为秋季多雨，而是因为海平面在这个季节会大幅抬升（最高可抬升 1.5 米），将全城浸泡在海水里。

每遇海平面上升，警笛一大早就会响起，将消息通知给全城居民。海水淹没圣马可广场，涌进商店和民居。水上巴士无法通过一些较矮的桥洞，因此必须变更航线。主要的街道和广

场上为行人架起了干爽的天桥，而想要去一些没有天桥的偏僻处，就必须穿上雨靴。穿着雨靴去喝咖啡，穿着雨靴去看电影。没人觉得西装革履的商人穿着高高的胶皮雨靴很奇怪，因为雨靴是威尼斯秋天最时尚的鞋子。

但不久的将来，威尼斯人就不需要穿雨靴了。工程师们经过多年研究，终于制订了一个让威尼斯免受水患困扰的计划：在威尼斯建设78道水闸，当海水上涨时，水闸就会升起，阻止海水涌进城市。这个计划叫作摩西工程，名字来源于《圣经》中的司水先知摩西。

有时候，从非洲吹向南欧的热风也会成为海水上涨的因素。春季，热风从非洲沙漠把沙尘云带到意大利；秋季，热风带来伴随着浓雾的降雨；冬季，热风也常常到访，落下的雪花被风中携带的沙尘染成红色，构成一幅红雪奇景。

假面舞会

每年 2 月，威尼斯都会迎来大批穿着稀奇古怪的服装、戴着面具的人。数万名扮装好的威尼斯人和世界各地慕名而来的游客，在各种游行、演出和音乐会中尽情狂欢。从圣灰星期三前的第十天开始，威尼斯城就变成了一个盛大化装舞会的现场。这就是威尼斯面具嘉年华——一个有着悠久历史的著名游行节日，首届嘉年华距今已经 700 多年了。

嘉年华期间，日常的繁文缛节都可以被抛到脑后。戴着面具，穿着角色扮演服装，看不出谁是谁，所有人在节日期间都是一样的。规矩可以是一笑而过的，玩闹可以是肆无忌惮的，犯傻可以是不受拘束的，每个人都将获得极大的满足。加入这场盛大的嘉年华，要求只有一个：戴上面具。今天，嘉年华已然成为一个到处洋溢着欢乐的城市节日，面具仍旧是它最重要的象征。

威尼斯有数百家出售嘉年华面具的商店，其中最著名的一家位于威尼斯最为著名的雷雅托桥附近。知名导演伍迪·艾伦，演员伯特·雷诺兹、安迪·加西亚和罗宾·威廉姆斯都在这家店买过面具。

面具不只是化装舞会的道具。古时候，传染病肆虐，面具是预防传染病的一种重要用具。这种面具上有一个长长的“鼻子”，里面塞满了浸泡过药水的滤网。用这个“鼻子”呼吸，人们可以有效预防传染病。已婚女子出门看戏时必须戴上面具，有些不想被认出来的人也会佩戴。

古代威尼斯最受欢迎的面具是“包塔”，这是一种白色的皮制面具，下巴处突出（方便进食和饮水），饰有黑面纱。包塔是男人们常用的面具，配以黑色长披风和黑色的帽子。女人们则更喜爱莫雷托面具，这是一种黑色的椭圆形面具，下方没有开口，内侧有个小钩子，可以固定在嘴部，防止面具掉下来。

如今，一般只有在嘉年华期间，人们才会佩戴面具。工匠首先用瓷或混合着石膏的特殊纸做出白坯面具，再绘制图案、装饰上丝绸和宝石，或贴上金片。装扮者届时会穿着飘逸的长袍，戴着高高的假发、梦幻轻盈的羽毛头饰或帽子。

盘子上的画家

卡尔帕乔是 500 多年前威尼斯一位画家的名字，也是一道意大利名菜的名字。二者名称相同，难道是巧合吗？显然不是。

80 多年前，意大利有一个擅长做前菜和饮品的厨师，名叫朱塞佩·西普里尼。除了烹饪，他还热衷于绘画。朱塞佩在

圣马可广场附近的小巷里开了一家名叫“哈利”的餐厅，店里新奇的鸡尾酒深受客人们的喜爱。他常用意大利著名画家的名字给饮品命名，比如贝里尼或提香。

有一天，伯爵夫人阿玛丽亚·纳妮·莫切尼戈来到朱塞佩的餐厅就餐。她的医生建议她食用生肉。

伯爵夫人抱怨道：“可是生肉怎么吃呀。”

朱塞佩听后想出了一个好主意，他把牛腰肉切成卷烟纸一样的薄片，用酱汁调味，装饰上芝麻菜，给伯爵夫人端了上去。伯爵夫人马上就爱上了这盘生切牛肉片，从此经常来朱塞佩的餐厅吃这道菜。

“该为这道菜取个什么名字呢？”朱塞佩冥思苦想。这时，一个个人画展给了他灵感。这是画家卡尔帕乔的画展，他的画作多用深红色，这让朱塞佩联想到生切牛肉片的颜色。如今，卡尔帕乔生切牛肉片已经比画家卡尔帕乔还要出名啦。

透过卡尔帕乔的画作，我们可以穿越时光，了解古时候的威尼斯。卡尔帕乔是一位优秀的叙事体画家，在画作中展示着小酒吧、作坊、繁华的渔港、在阳台上小憩的女人、状如酒杯的烟肉和拱形的窗户。

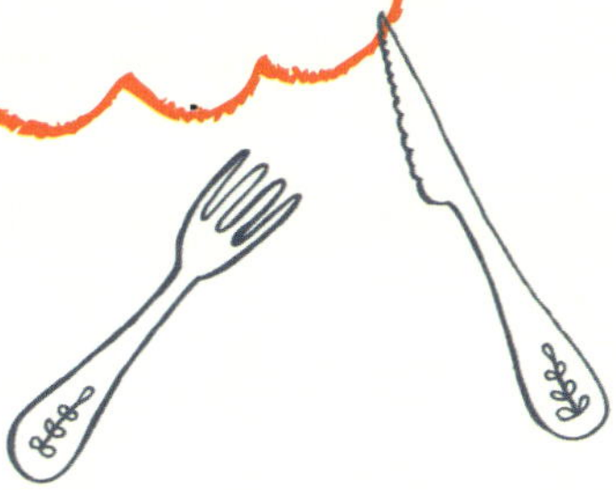

嘿，卡萨诺瓦！

如果一个人花心成性，人们就会批评说：“这个人像卡萨诺瓦一样。”那么，卡萨诺瓦又是怎样的一个人呢？

卡萨诺瓦几乎涉猎过所有职业。他写了一部幻想小说，讲述了去地球内部旅行的故事。小说里提及了类似现代汽车和钢笔的东西，极富想象力。

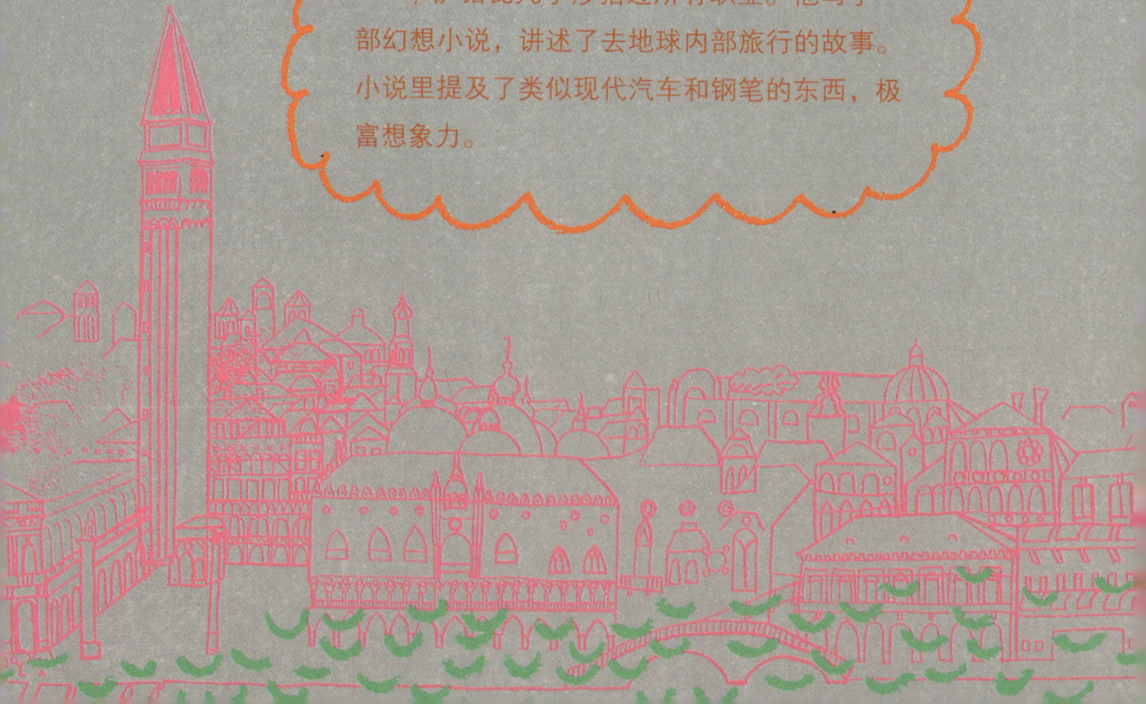

约300年前，贾科莫·卡萨诺瓦出生于威尼斯。他做过牧师，当过军人，在剧场里拉过小提琴，还翻译古意大利语的作品，做过图书管理员……他的父母都是演员，也许这就是他能游刃有余地扮演各种角色的原因吧。

因为做了很多荒唐事，卡萨诺瓦被威尼斯政府判处五年监禁。15个月后，他从监狱屋顶的洞口出逃，从此过上了颠沛流离的生活。他在波兰华沙居住时，为了一名叫特蕾莎的舞者，与弗朗西斯·泽维尔·布兰基伯爵发生了争执。在决斗过程中，卡萨诺瓦的腹部受了重伤，然而他也刺伤了布兰基伯爵，伯爵的朋友们对他进行追捕，他只好继续逃亡。

卡萨诺瓦是个地地道道的感情无赖：他常常用纸牌行骗，逢人便说自己会变魔术；但他又装得让人感觉如此有魅力，让人无法对他真的动怒。他处处拈花惹草，和上流社会的贵妇、女演员甚至修女都有过暧昧关系，但很快又将她们抛弃。卡萨诺瓦常扬扬自得地炫耀他的魅力，然后也确有众多女性为他倾倒、为他心碎。

舌尖上的博洛尼亚

番茄肉酱意大利细面（spaghetti bolognese）在美食界可谓众所周知，但是博洛尼亚人却对这道菜一无所知。别惊讶，这是因为在博洛尼亚，番茄肉酱配的是意大利宽面，而非我们普遍认为的意大利细面，因为博洛尼亚人认为番茄肉酱和意大利宽面才是完美组合。

一顿地道的意大利正餐由好几道菜组成，通常来讲，意大利餐厅里的菜单是这样的：

Antipasti（前菜／开胃菜）

Primi piatti（第一道主菜）

Secondi piatti（第二道主菜）

Dolci（甜点）

博洛尼亚著名的美食不仅有美味的番茄肉酱，还有看起来有些像馄饨的意大利饺子。传说在很久以前，一位美丽优雅的贵族妇人住在博洛尼亚的一家旅馆。旅馆老板折服于她的美貌，晚上悄悄地趴在她的房间门口观察她。老板对贵妇完美的肚脐尤为印象深刻，于是马上冲到厨房，照着她肚脐的形状，用面团捏出了一个小饺子。今天，每年 10 月的第一个周末就是博洛尼亚的饺子日。

意大利饺子

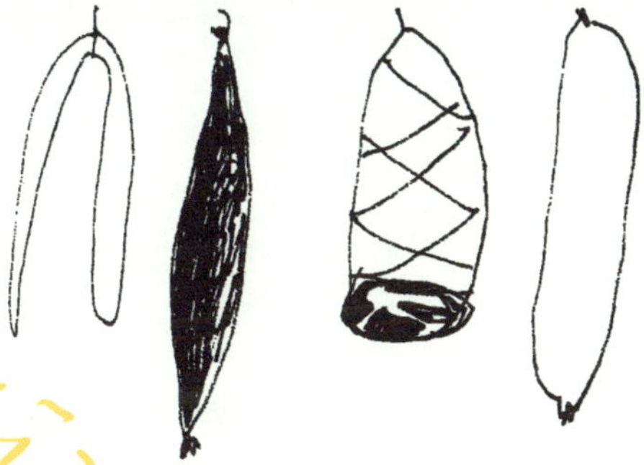

博洛尼亚熏香肠

博洛尼亚也盛产熏香肠。有人说，做香肠用的肉是驴肉。这只是那些没有得到博洛尼亚熏香肠配方的外地厨师散播的谣言。实际上，博洛尼亚熏香肠的原料是猪肉。

博洛尼亚是著名的美食之城，欧洲最古老的大学——博洛尼亚大学也坐落于此。因此有人认为，博洛尼亚的食物如此美味，可能是因为来自天南海北的学生和教授将自己家乡的食谱带来了博洛尼亚，为博洛尼亚美食注入了新的活力。博洛尼亚还有一个别称，叫“胖子之城”。许多人都表示，博洛尼亚的美食在意大利首屈一指，来到这里，你绝不会空腹而归。

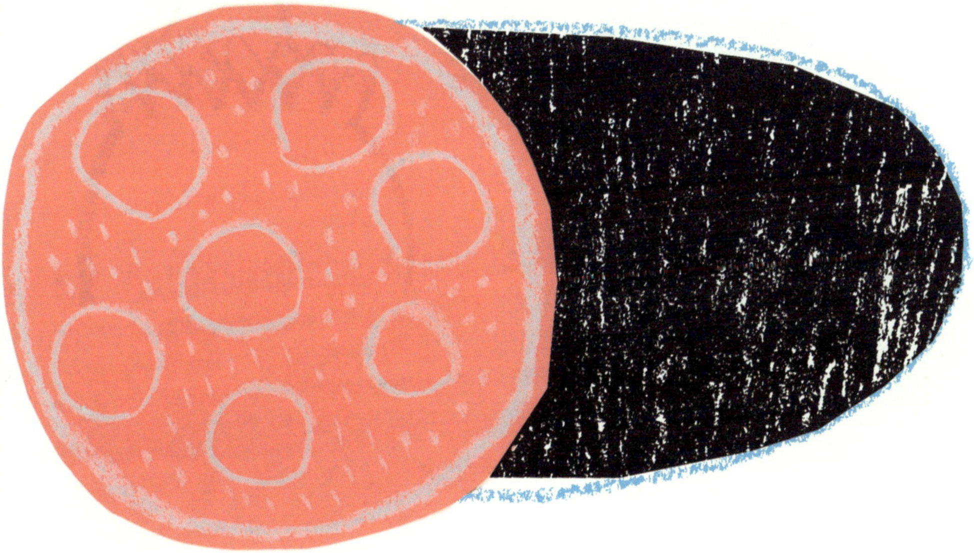

意大利宽面

博洛尼亚人发明了一种又长又扁的面条——意大利宽面。传说，大约 500 年前，当时博洛尼亚的统治者乔瓦尼·本蒂沃利奥二世宴请贵族女子露克蕾西娅·波吉亚。为了欢迎这位尊贵的客人，他让厨师精心制作了一款特别的面条——宽面，金黄的面条就好像波吉亚长长的、闪耀着动人光泽的缕缕金发一样。实际上，这个故事是约 100 年前博洛尼亚著名讽刺画家和作家奥古斯托·马贾尼编出来的。

“但是地球就是在转动啊！”

伽利略是著名的天文学家，生活在 400 多年前的意大利比萨城。年轻时的伽利略曾经想做一名修士，但父亲非常了解他，对他说：“修道院可不是充满好奇心的孩子的归宿。”父亲很快将伽利略从修道院带出来，让他进入大学学习。

伽利略非常聪敏，喜欢做实验。当他得知遥远的荷兰有人发明了望远镜，就制作出了相似的，甚至性能更好的望远镜。借助这架望远镜，他发现了月球表面的“环形山”以及木星的四颗卫星。

有一天，他听说了波兰天文学家尼古拉·哥白尼的学说，对此产生了极大兴趣。当时社会普遍认为太阳围绕地球旋转，但哥白尼说，地球是围绕太阳旋转的。伽利略开始进行相关研究，认为哥白尼的结论是正确的。但是，这个结论却招致教会的不满。宗教法庭指控伽利略欺骗世人，并命令他公开宣布反

伽利略

对哥白尼的理论。

“我该怎么做？是对公众撒谎说哥白尼错了？还是承受一切压力，拒绝宗教法庭的要求？”伽利略犹豫不决。最后，他终于被迫做出了决定。面对宗教法庭的法官们，伽利略承认哥白尼的理论是错误的。但据传说，当时他马上又嘀咕了一句：“但是地球就是在转动啊！”

伽利略的贡献还有很多。他优化了显微镜，发明了温度计，还从教堂里一盏悬灯的摆动发现摆振动的规律。

伽利略
望远镜

立正，比萨斜塔！

比萨斜塔是建筑史上最有名的倾斜建筑，因奠基不慎，还没有修建完成时塔身就已经开始倾斜了。它始建于800多年前，本是一座钟塔，但建筑师没想到地基如此松软，以至于这座钟塔逐渐倾斜。为了挽救钟塔，施工者增加了一侧支柱的高度，但仍旧无法阻止它倾斜的趋势。

有人建议毁掉这座钟塔，再建一座新的，但是比萨城的居民们没有同意。比萨人将剩下的几层建完，最后安装了钟。

值得庆幸的是，比萨斜塔最后还是建成了。传说比萨斜塔还吸引了伽利略的目光。他想证明不论物体的质量如何，从同一高处落下时下降的速度是一样的。为此伽利略登上塔顶，抛下一轻一重两个铁球，最后，两个球“同时”落地。

比萨斜塔倾斜得越来越厉害，从塔顶的垂悬直线已偏离底脚约 5 米。从 1990 年开始，游客禁止进入塔内。为避免塔倒楼毁的悲剧发生，大批专家会聚于此，出谋划策。修复工作进行了 11 年，地基得到加固，比萨斜塔因此停止了倾斜。游客们又可以登塔去参观了。

波兰也有斜塔。其中一座位于宗布科维采小镇的斜塔街上，从塔顶的垂悬直线偏离底脚约达 2 米；另一座在托伦，偏离约 1.5 米，塔中还开了一家斜塔咖啡店。

车轮上的动物园

它，有着“细细”的腰；它，能够灵活地在大街小巷中穿梭；它，会发出有趣的嗡嗡声。猜猜它是什么？它就是意大利的小型摩托车——“小胡蜂”。

约70年前，意大利一家机车厂生产出一款小型摩托车。它的造型和发动机的嗡鸣声使厂长恩里科·比亚乔联想到意大利的一种昆虫——胡蜂，这种小型摩托车因此而得名。

“小胡蜂”迅速征服了无数人，“小胡蜂”粉丝俱乐部应运而生。它参加过战争，意大利军方委托比亚乔制造了一批可以和伞兵一起空降的“小胡蜂”；它出演过间谍电影，特制的“小胡蜂”“阿尔法号”能够飞行、滑水和潜水，上天入地，英勇无比；它还参加了环球之旅，大学生贾恩卡洛·蒂罗尼骑着“小胡蜂”一路向北，直到北极。

“小胡蜂”的热度还未退却，比亚乔的公司又制造出一种迷你三轮货车——“小蜜蜂”（看起来比亚乔似乎是个昆虫爱好者）。

在意大利，用动物名字命名的机车不仅仅有“小胡蜂”和“小蜜蜂”，还有著名的双人汽车菲亚特 500，它被意大利人亲切地称为“小老鼠”（和意大利人对迪士尼动画片中的米老鼠的称呼相同）。“小老鼠”能够在各个窄巷中穿梭，重量只有 535 千克。在电影《赛车总动员 2》中，“小老鼠”以尼诺叔叔的形象出现在银幕上。

“小胡蜂”
“小老鼠”

法拉利的标志是前蹄高扬的跃马形象。最早使用跃马形象作为徽标的，是意大利著名功勋飞行员弗朗西斯·巴拉卡。据说，法拉利汽车的创始人——恩佐·法拉利特别崇拜飞行员，因此借用了弗朗西斯·巴拉卡的跃马徽标作为自己公司的标志。

“小蜜蜂”

来支冰激凌凉爽一夏吧

香蕉口味、蜜瓜口味、西瓜口味，奶味香醇、沁爽丝滑、甜美爽口，意大利冰激凌总是带给人新鲜水果般的绝妙口感。在意大利，你能吃到各种美味的冰激凌。意大利制作冰激凌球的挖球器很大，因此这里的冰激凌球也是以个大而闻名。

有人认为，中国人最先做出了冰激凌，还有人认为是阿拉伯人。无论如何，有一件事是可以肯定的：意大利人做的冰点让你吃了还想吃。今天，人们能吃到如此令人回味无穷的冰激凌，尤其要感谢三位意大利甜点师。

近年来，新口味冰激凌的诞生无疑又在冰点界引起了一次轰动。冰激凌家族加入了茴香口味、胡萝卜口味和番茄口味的新成员，虽然不是用水果做的，但是同样清甜沁凉。

首先要感谢一位叫鲁杰的甜点师。500 多年前，佛罗伦萨举办了一次美食创新大赛。鲁杰在比赛中用一道水果雪葩（水果和冰沙组成的冰点）俘获了大家的心。

后来，一位叫贝尔纳多的甜点师完善了冰激凌的配方，他被人们称为“天才甜点师”，他天赋异禀，尤其是在制作冰点方面。他制作的柠檬橙子奶油冰激凌，至今仍然是人们最喜爱的冰激凌之一。贝尔纳多还发明了特殊的地下冷藏法，可以方便快捷地制作冻奶油。

还有一位就是弗朗切斯科 · 普罗科皮奥了。在古代，只有富人才能吃到冰激凌，因为冰激凌的制作过程复杂，价格相当昂贵。居住在巴黎的西西里人弗朗切斯科 · 普罗科皮奥想要改

变这一现状。经过长时间的试验，他终于制作出了价格便宜、工序简单的冰激凌。不久，弗朗切斯科开了世界上第一家咖啡店——Le Procope，店里的冰激凌价格低廉，普通人也能吃得起。

冰激凌家族成员众多，既有大名鼎鼎的冰激凌球，也有看起来像白雪皑皑的山峰一样的冰激凌。制作这种冰激凌的机器是意大利人发明的，因此它被称为意式冰激凌。可别把意式冰激凌和像钻头一样瘦瘦尖尖的美式冰激凌混淆了，意式冰激凌形状更扁，奶油更香滑，口感更绵软。

天才中的天才

列奥纳多·达·芬奇出生于意大利芬奇镇，是一位杰出的画家。但是，他有一个缺点：总是拖稿。他经常要比约定日期晚好几个月才能完成客户预订的画作。难道达·芬奇是个不负责任的人吗?

原来，达·芬奇在落笔前要做繁杂的准备工作。比如要画一只手，首先要了解手的结构，打草稿的时候要观察手的形状和血管的脉络，最后在画布上创作时要注意光线的明暗。因此，约定的交稿日期对于达·芬奇来说往往是非常紧迫的。

《蒙娜丽莎》是达·芬奇最著名的代表作，画中女人坐姿优雅，带着一抹神秘的微笑。蒙娜丽莎，在意大利语中意为“丽莎女士”。这幅画现存于巴黎最大的博物馆——卢浮宫。约 100 年前，马塞尔·杜尚临摹了一幅《蒙娜丽莎》，只是画中“丽莎女士”的表情不再神秘莫测，因为杜尚在她脸上画了滑稽的胡须。

列奥纳多·达·芬奇

达·芬奇设计的飞行器

达·芬奇是一位热爱动物的素食主义者。他经常在集市买鸡，只为将它们放生。今天，素食主义十分流行，但在几百年前的文艺复兴时期，这是一件令人匪夷所思的事。

达·芬奇学识渊博，多才多艺。除了画画，他还设计了大炮、建筑，以及坦克、飞机和潜艇等。他的一些设计从未公之于众，因此很长一段时间，人们对这些设计一无所知，而被公布的设计在当时也被世人认为是稀奇古怪的东西。除此之外，达·芬奇还擅长演奏七弦琴，写过关于动物的童话，对数学和物理领域也有所涉猎，在文学和哲学领域有极高的造诣。因此，他被誉为“天才中的天才”。

在达·芬奇生活的文艺复兴时期，人才辈出，群英荟萃。比如哥白尼，他不仅是一名天文学家，还研究法学、数学和医学。从那时起，人们将有多种天赋的人称为“文艺复兴时期的人物”。如今，还有谁能超越达·芬奇的盛名呢？

“黑公鸡”红酒

如果你在商店里看见了草篮子里带有黑公鸡标签的矮墩墩的瓶子，恭喜你，你发现了意大利著名的红酒——基安蒂酒。“基安蒂”这个名字，来源于佛罗伦萨和锡耶纳之间美丽的基安蒂山。基安蒂山上坐落着数间石屋，石屋与石屋之间的小路蜿蜒，路旁挺立着高大的柏树。山坡上，葡萄茁壮成长。

带草编
篮子套的
基安蒂酒

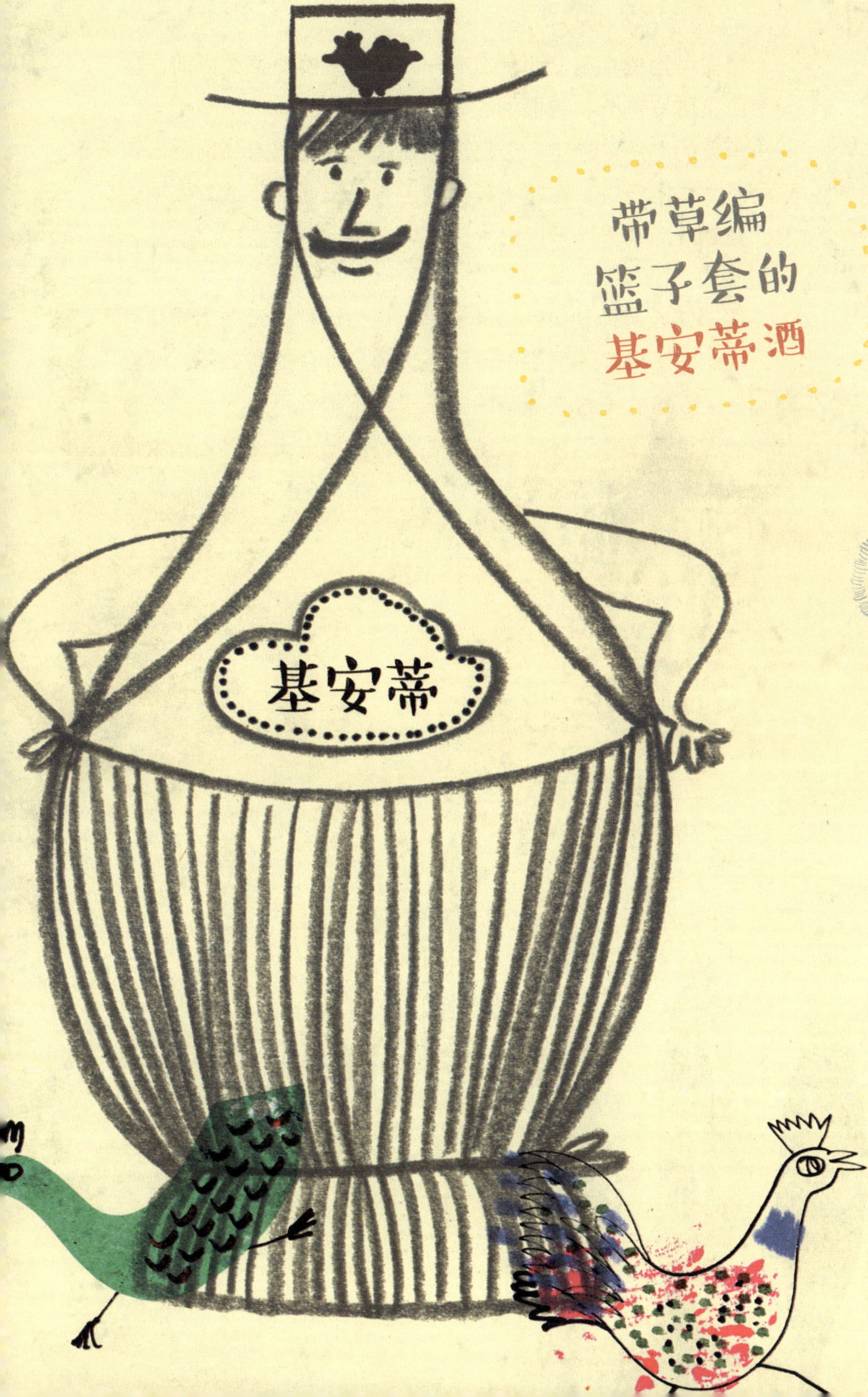

基安蒂酒的标签上为什么有一只黑公鸡呢？很久以前，基安蒂山是佛罗伦萨和锡耶纳的争议地区，最终人们想出了一个解决争议的办法：选定一个日期，在那一天，双方分别派出骑士向对方城市行进，在骑士碰面的地方画出新的界线。根据规定，鸡鸣之后骑士才可以出发。

锡耶纳人选择了白色的胖公鸡，认为这种公鸡更加强壮有力，啼叫声音洪亮。而佛罗伦萨人选择了黑色的瘦公鸡，而且整个白天都将它安置在黑暗的笼子里，不喂食不喂水。半夜时分，佛罗伦萨人将黑公鸡放出来喂食，饿了一天的黑公鸡看见食物非常高兴，虽然天还没有亮，但它依然响亮地啼叫起来。

因此佛罗伦萨的骑士们得以提前出发，快要到达锡耶纳城下才停止前进。这个故事的真假，我们已经无从得知，但黑公鸡因此成了基安蒂山的象征，这也是它出现在基安蒂酒标签上的缘故。

19 世纪，基安蒂酒声名鹊起，这要归功于贝蒂诺·里卡索利男爵。他将改良过的基安蒂酒配方分给基安蒂山周边的葡萄园主，还修建了便于将基安蒂酒运往大城市的公路和铁路。如果你去托斯卡纳游玩，可以去参观里卡索利男爵的城堡——布罗里奥城堡。

公主带来的蔬菜

500 年前，来自意大利南部城市巴里的公主博纳·斯福尔扎来到克拉科夫，与波兰国王齐格蒙特成婚。博纳公主原本对这门婚事十分抗拒，认为自己嫁过去之后将不得不忍受北方寒冷的天气，在压抑的城堡中度过余生。为此她郁郁寡欢，不想和任何人说话。

令她意想不到的是，瓦维尔宫是如此明亮宽敞，那里的天气也不是特别糟糕，王公大臣们教养良好，会说多种外语。只有一点美中不足：这里没有公主喜爱的清淡美味的意大利菜。因此博纳公主决定从意大利带来一些好吃的蔬菜。她在王宫旁边的花园里开垦了一片菜园，亲手种菜。这些由博纳公主从意大利带来的新蔬菜被波兰人称为“意大利蔬菜”。

博纳公主

博纳公主为波兰带来了番茄、花菜、西葫芦、水萝卜、豆类和各种草药（如百里香），教会了波兰人品鉴红酒。博纳公主还引领了低领礼服的时尚——她的低领婚纱令当时穿着保守的波兰女性大开眼界，婚纱上装饰的金色蜂巢象征着她勤劳的品质。

博纳公主为波兰打开了通向美食新世界的大门，但有人认为她毒杀了自己的儿媳妇芭芭拉·拉齐威尔，将她称为“投毒者”。博纳公主个性强硬、雄心勃勃，不容许别人提出反对意见，因此几乎没人喜欢她，甚至有人恶意中伤她。实际上她并没有毒杀任何人，芭芭拉是正常死亡的，只是看起来像中毒身亡。

花菜
豌豆
根芹
水萝卜
百里香
花豆
大葱
番茄
西葫芦
红酒

哦，玛格丽特！

“吃腻了”这种感觉经常推动新菜肴的问世。人们厌倦了总是吃一样东西，就想换个新口味，比萨就是这样被创造出来的。

“什么？又吃佛卡恰？”一位那不勒斯人边打包他的下午茶，边无奈地抱怨道。这天早上，妻子为他做了佛卡恰。佛卡恰是一种扁平的有馅面包，一般用面粉、橄榄油和水做成面饼，在滚烫的石头上烘烤而成。佛卡恰的馅料单调，种类不丰富，妻子也觉得总吃这种面包，丈夫应该已经很不耐烦了。于是她又烤了一个薄薄的面饼，在上面刷上蒜蓉橄榄油，还点缀上了橄榄。这就是比萨的前身。

意大利
玛格丽特比萨
餐厅

比萨到底是什么时候出现的，我们无从得知。不过，可以确定的是，约130年前，玛格丽特比萨诞生了。这种比萨号称“比萨界的王后”，其名字的来历与一位名叫玛格丽特的王后有关。

传说，意大利国王翁贝托一世和他的妻子玛格丽特王后在那不勒斯度假，王后很想品尝一下那里非常有名的比萨，于是请来最好的厨师拉斐尔·埃斯波西托为她烘烤。拉斐尔做了一个带有意大利国旗颜色的比萨：白的是马苏里拉奶酪，红的是番茄，绿的是罗勒。王后十分喜爱这款比萨，遂允许拉斐尔以她的名字来命名。

玛格丽特比萨应该是意大利人最喜欢的比萨了，但那不勒斯人有时更喜欢吃比萨饺。比萨饺以火腿、萨拉米香肠和里科塔奶酪为馅料，在烤箱里烘烤或用橄榄油煎炸制成。通常来说，意大利人在选择比萨馅料时非常谨慎。他们不喜欢在比萨里加鸡肉或牛肉，更不用说菠萝了。在意大利人眼里，胡乱添加馅料的比萨是无法入口的。

地道的意大利比萨均 3 毫米厚。制作面饼时，厨师不用擀面杖，只用双手。厨师将面饼抛至空中，利用离心力将面饼旋转到合适的大小，然后放进以木材为燃料的烤炉中，温度保持在 485℃，烘烤时间不超过 90 秒。

太阳之歌

音乐飘扬在那不勒斯的每一个角落——街道上、集市里、办公室中；邮递员哼着歌，警察吹着口哨……除了那不勒斯，还有哪座城市有资格成为世界上最著名的歌曲——《我的太阳》的故乡？《我的太阳》并不是一首歌颂太阳的歌曲，但太阳具体指什么，人们观点不一。有人认为这是一首唱给心爱的女人的歌。她的笑容像太阳一样，照亮了每一天的生活。

《我的太阳》的作曲者是100多年前的小提琴家爱德华多·迪·卡普。当时，他正和父亲一起在遥远的敖德萨举办音乐会。一天晚上，他忽然想起了远在那不勒斯的家乡和他深爱的女孩，于是创作了一段旋律。爱德华多回到那不勒斯之后，他的诗人朋友乔瓦尼·卡普罗为这段旋律填了词。

传说有一天，一个卖货郎推着满载货物的小车从卡普罗的窗外经过，低声唱着哀伤的歌。卡普罗刚刚吃完早饭，听到这首歌之后激动地跳起来，出门追上卖货郎，请求他再唱一遍。卡普罗记下歌词，稍加改动——《我的太阳》的歌词就这样诞生了。

很快，《我的太阳》成为那不勒斯市非官方的城市颂歌。更神奇的是，1920年，在安特卫普奥运会上，意大利管弦乐团的指挥忘记带国歌的曲谱，无法指挥管弦乐团演奏国歌，但

是他能够完美地指挥《我的太阳》。于是那天，意大利的民众和运动员聚集在运动场，激情澎湃地合唱了这首歌。意大利歌剧演唱家恩里科·卡罗素和鲁契亚诺·帕瓦罗蒂、美国歌唱家埃尔维·普雷斯利，都曾经演唱过《我的太阳》，埃尔维唱的是改编成英文版的 *It's now or never*。第一个进入太空的人——尤里·加加林，将这首歌带出了地球，在宇宙飞船里演唱了它。

圣雷莫音乐节是意大利著名音乐节，在每年 2 月举行，这是欧洲最古老的音乐节之一，已成功举办近七十届。许多在圣雷莫音乐节上演唱过的歌曲都风靡世界，流行一时，比如多明戈·莫都格诺演唱的《飞翔》。在此之前，多明戈只是一个服务生，后来一举成名。

'O SOLE MIO!
我的太阳
IT'S NOW OR NEVER
'O sole mio!
我的太阳

有面万事足

意大利面有许多种类，如贝壳面、卡佩利尼面等。不同地区的意面，形状也各不相同。每个人都可以找到自己喜欢的那一款。音乐爱好者可以选择风琴形状的意面，汽车爱好者可以选择车轮粉，水管工人可以选择通心粉，时尚达人可以选择螺旋面和蝴蝶面。

如今，意面家族仍不断有新成员加入。著名汽车设计师乔盖托·乔治亚罗曾经制作了一款新型意面——Marille。这款意面形状十分特别，是带有波浪状结构支撑的双管结构。但遗憾的是，由于其不规则的形状，Marille 意面在烹饪时无法均匀受热。

意大利人真的非常热爱面条，他们甚至还总结出“意面法典”，对于什么款式的意面搭配什么口味的酱汁都有明确规定。比如，细长的意面应搭配番茄做成的红酱，扁宽的意面应搭配奶油和鸡蛋做成的白酱。烹煮的时长也很重要。煮好的面需要厨师品尝软硬程度。烹煮成功的意面应该微硬而有弹性，烹煮时间过长的绵软意面绝对不可以端上餐桌。在罗马的特雷维喷泉旁，意大利人甚至修建了一座意面博物馆。

意大利人对面条的热爱堪称疯狂，每年要吃掉数量庞大的意面，因此有人叫他们“面奴”。不过这是个很不礼貌的用语，最好不要这样称呼意大利人。

CANNELLONI —— 意大利肉卷面，填充着肉馅或甜馅的巨型通心面

CAPELLINI —— 卡佩利尼面（由意大利语“头发”一词而来），一种线状面条

CONCHIGLIE —— 贝壳面

FARFALLE —— 蝴蝶面

FUSILLI —— 螺旋面

LASAGNE —— 千层面，长方形面片

PENNE —— 通心粉（由意大利语“永恒的羽毛”一词而来）

PENNE RIGATE —— 带有凹纹的斜切通心粉，能够更好地黏着酱汁

SPAGHETTI —— 斯帕盖蒂意面，一种细长的意面

TAGLIATELLE —— 斯帕盖蒂意面的扁平版

叉子的历史

约 170 年前，有位喜欢吃斯帕盖蒂意面的国王，他就是意大利南部的统治者斐迪南二世·波旁。传说，有一天他在宫殿里宴请宾客，主菜是他最喜欢的意面。但是，如何优雅地吃这么长的面条成了问题。私下吃意面时，他会用手抓着吃，但在大庭广众之下不能这样做。当时的三齿叉子并不适合吃意面，每当国王把意面卷起来要送进口中的时候，不听话的意面总是掉下去。于是，当天晚上国王只能饿着肚子去睡觉。因经常接见宾客，国王也就经常饿着肚子，所以无心政务。大臣们因此十分焦虑："怎么办？怎么办？"

为了让国王优雅地吃到意面，一位叫加图索·斯帕达奇尼的大臣将自己关在房间里，冥思苦想了一天、两天……最后终于想出了解决办法。在斐迪南国王第二次宴请宾客时，还是没能如愿吃到意面。他愁眉不展地坐在桌边，忽然，加图索拿着一把叉子冲进宴会大厅，不顾大厅里的一众大臣，大声喊道："陛下！陛下！我有办法啦！"

国王看了一眼，失望地说："又是叉子，叉子没有用。"加图索兴奋地大叫："不！陛下！这把叉子不一样！"

加图索的这把叉子是四齿叉子，而且叉子齿的长度也比三齿叉子短。事实证明，用加图索改良的叉子吃意面既方便又优雅，斐迪南二世终于可以尽情享用他最爱的意面啦。

几年前，一个叫拉涅利的人做了一份意面，但无人能将面条顺利卷上叉子——因为这份意面长达 455 米，已被载入吉尼斯世界纪录。

蓝衣军团，射门！

有些国家，足球队的球服颜色与国旗颜色是一致的。意大利足球队则不然。意大利国旗包括红、白、绿三种颜色，而足球队的球衣是蓝衣白裤蓝袜。因此，意大利国家男子足球队的别称为“蓝衣军团”。

蓝衣军团还有一首“蓝色”的队歌，是意大利著名歌手阿德里亚诺·切伦塔诺的《蓝色的心》，讲述的是一个男人在爱人出门旅行的温暖午后，孤独地望着蔚蓝的天空感到度日如年的故事。

意大利人不仅擅长踢足球，还擅长滑雪。阿尔贝托·汤巴是意大利传奇滑雪名将，多次参加滑雪障碍赛，获得过50多次冠军，被人们誉为“大炸弹”。

足球应该是意大利人最喜欢的运动了。男人们常常在现场或聚在咖啡馆、餐厅，一起看足球比赛，为自己喜欢的球队加油呐喊。每逢重大赛事，如果蓝衣军团获胜，球迷们就会举行盛大的庆祝活动；如果蓝衣军团输了，所有人都会郁郁寡欢。幸运的是，意大利足球队非常优秀，经常不负众望赢得比赛，曾经四次夺得世界杯冠军。

许多男孩子都很崇拜足球运动员。那不勒斯人最崇拜的球员是迭戈·马拉多纳，他来自阿根廷，曾在那不勒斯足球队效力多年。在那不勒斯的贝内代托克罗切大道上，还有一座纪念马拉多纳的小小圣坛，那不勒斯人用方言为他写了一首小诗，激励男孩子们努力成为像马拉多纳那样出色的球员。

喷发的火山

每年 8 月，亚平宁半岛上的居民全都外出度假，各个城市变成一座座空城。但约 2000 年前的一天，祥和美好的假期被一场灾难破坏了。

那一天，那不勒斯附近的三座城市——庞贝、斯塔比亚和赫库兰尼姆经历了前所未有的劫难。它们原本是三座风景如画的城市，在城中可看见雄壮的维苏威火山。然而，这座火山却毁掉了一切。“所有人还不清楚发生了什么的时候，黑暗就降临了，伸手不见五指。我们不停地站起来，抖落仿佛要将我们

埋起来的厚重尘土。”作家普利纽斯这样记录道。维苏威火山喷发之时，他正拜访居住在庞贝附近的叔父。那是个炎热的午后，忽然，地动山摇，火山开始喷发烈焰，黑云笼罩着庞贝、斯塔比亚和赫库兰尼姆的天空。无数燃烧着的滚烫石头砸向这三座城市，建筑被可怕的落石摧毁。

普利纽斯的叔父调配罗马的帆船，辗转救援逃难的居民，最后不幸牺牲于斯塔比亚。落在城市中的火山灰引发了火灾，造成许多人伤亡。随后，维苏威火山口开始喷发有毒气体。灾难整整持续了三天，庞贝、斯塔比亚和赫库兰尼姆被厚达数米的火山灰掩埋，房屋、商店和寺庙从此长眠地下。

今天，维苏威火山仍旧十分危险。它是一座活火山，随时都可能喷发。维苏威火山最近一次喷发于 1944 年，值得庆幸的是，这次喷发没有造成巨大损失。

对这三座城市的发掘工作持续了近300年。首先在庞贝古城发掘出了斗兽场，接着在赫库兰尼姆挖掘出了一栋带有图书馆的别墅（这个图书馆藏有超过2000本用莎草纸制成的古代书籍）。保存完好的湿壁画和马赛克画（用小块的彩色石头拼成的画），向人们展示着约两千年前的建筑、花园、餐具和人物。这些画作展现了穿着系带礼服的女人们和披着长袍的男人们的生活场景：有的在中庭休息，有的在斗兽场观看角斗士角斗，还有的在长沙发上与朋友们享用大餐。他们的庄园还有忠犬守护——在一栋房子的门前，考古学家发现了用马赛克拼出的字：“有犬，勿入。”

柯里昂先生

婴儿在接受洗礼时的监护人被称为教父。黑手党家族的首领也称为教父。你可能会问，黑手党又是什么呢?

很久以前，西西里岛被法国人控制，百姓饱受奴役和欺凌。很多历史学家认为，黑手党就是在此时产生的。为了对抗残暴政权，保护百姓，西西里人成立了一个秘密组织。然而，随着岁月流逝，真正穷凶极恶的歹徒出现在了这个本意是保护民众的组织中。今天，他们被称为“黑手党人”。除了西西里，意大利其他地区也有类似黑手党的组织，比如那不勒斯的“卡莫拉”和卡拉布里亚的“光荣会”。

黑手党为缴纳保护费的人提供庇护，但他们进行保护的方式却是非法的。他们还走私违禁商品：军火和毒品。一言以蔽之，黑手党做的是触犯法律的事。

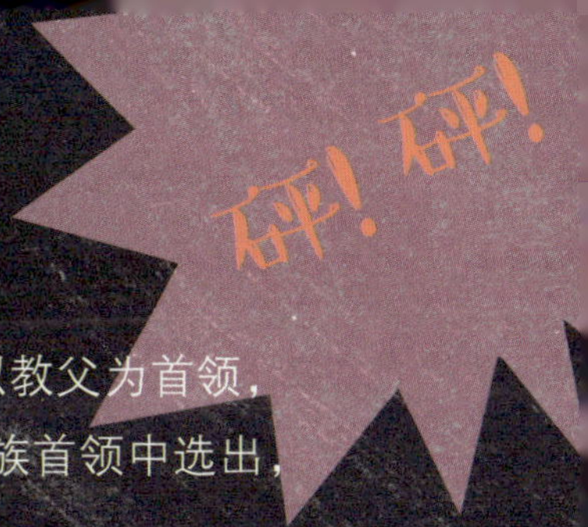

黑手党内分为很多家族势力，每个家族都以教父为首领，首领也称为“先生”。整个黑手党的首领从各家族首领中选出，被称为“教父”。

维托·柯里昂是最著名的教父，他是弗朗西斯·福特·科波拉导演的电影《教父》中的主角原型。电影中的有些情节很理想化，但整体上已经十分接近真实的黑手党。维托·柯里昂出生在西西里岛的柯里昂镇，最初叫维托·安东里尼，后来居住在美国时改姓柯里昂。维托·柯里昂的扮演者是美国著名演员马龙·白兰度。模仿一下他一边往嘴里塞意面一边说话的样子，只能作为小小的娱乐，千万不要以这样的教父为榜样。

教父憎恨叛徒。黑手党内部有一条不成文的规定：严禁泄露组织机密。如果某个成员违背了这一规定，他会在车中或家里发现一条用报纸包裹的死鱼。他必须时刻警惕，因为下一次遇到的可能就不只是警告了。

人间美味橄榄油

一位古代的作家曾将橄榄油比作液体黄金。为什么这么说呢？这不仅因为橄榄油那金黄的色泽，更因为它拥有黄金般的价值。在古希腊，满满一瓮橄榄油是奥林匹克优胜者的奖品；在古罗马，橄榄油可以充当税款。它不仅十分美味，而且有利于保持身体健康（适量食用橄榄油可以降低患心脏病的风险）。由于具有出色的抗衰老功效，橄榄油还被加入化妆品中。

意大利人不仅用橄榄油制作果汁和沙拉，还用它搭配面包做开胃菜。金黄的橄榄油倒在新鲜的面包上，可以想象，多么美妙可口啊！带着淡淡辛辣感的微苦味道，经过咽喉时酥痒的奇妙感觉，这些都是优质橄榄油的特征。

不知道你有没有注意过商店里的橄榄油瓶。橄榄油需要避光保存，因此盛放橄榄油的玻璃瓶必须是深色的。还有，橄榄油最好不要放在冰箱里，低温会破坏橄榄油的品质。标签上写着“特级初榨”的橄榄油是最美味的。

橄榄油是从油橄榄中榨取的，制作一升橄榄油需要超过五公斤的油橄榄。如果想观赏橄榄树，那么撒丁岛的维拉马萨尔贾镇是最好的选择。维拉马萨尔贾镇是欧洲最古老的橄榄树群生长地之一，有“大橄榄园”之称。这里生长着 700 余株古橄榄树，其中一部分已有 1500 年树龄。当然，这里的橄榄树和卢拉斯地区的古橄榄树相比显然是小巫见大巫。卢拉斯地区的古橄榄树有 15 层楼那么高，树龄已超过 3000 年。

在许多国家的文化中，橄榄树是神圣的象征。正因如此，这些橄榄树才得以生长千余年，至今仍能结出果实。橄榄枝象征着和平，用橄榄树枝叶做的花环象征着胜利。古时候，只有奥林匹克运动会的冠军才有资格佩戴。

白色小丑

你可曾听说过忧伤的小丑皮埃罗？他戴着白色的帽子，穿着白色的裤子和缝着黑扣子的白色上衣。他的脸也是白色的，双颊各有一滴巨大的黑色泪珠。白色小丑的形象常出现在情人节贺卡和纪念品的包装上，这是为什么呢？他又为什么在哭呢？

皮埃罗（Pierrot）是法语中对这个白色小丑的称呼，他的意大利语名字是派德罗尼诺（Pedrolino），爱情的不幸使他流下泪水。大约400年前，即兴喜剧风行意大利，皮埃罗是即兴喜剧最重要的角色之一。如今，每年2月，意大利人都会庆祝即兴喜剧节，在节日表演里可以看见皮埃罗的演出。

这部戏被称为“喜剧”并不是毫无缘故的，悲伤并非白色小丑故事的主色调。皮埃罗拥有华贵的外表，但行动极其笨拙，与其说他很感人，不如说他很逗趣。

阿尔列金
博士
皮埃罗

当然，故事中的人物不止皮埃罗一个。皮埃罗身边还有许多不可或缺的角色：机灵的仆人阿尔列金，爱说闲话的女仆科洛宾娜，吝啬的商人潘塔隆，单纯的博士和喜好自夸的卡皮坦。

爱情故事都是相似的，皮埃罗的故事也不例外。两个有情人想要步入婚姻殿堂，却遭到了父亲的反对。卡皮坦想要拆散这对恋人，科洛宾娜和阿尔列金向他们伸出援助之手，博士作为智囊经常喋喋不休地唠叨着，皮埃罗只是不停地哭泣。最后一切尘埃落定，面对决斗，卡皮坦临阵脱逃。

难道观众每年都看这样的戏剧不会感到厌倦吗？其实，这出剧的演员在表演时没有固定的台词，每次演出都会有不一样

阿尔列金

的地方。他们在舞台上做着可笑的动作，说着可笑的话，翻筋斗、做鬼脸，把观众逗得笑出眼泪。只有皮埃罗一个人，一直是忧愁的。

潘塔隆是个长着鹰钩鼻、面色苍白的驼背人；博士穿着一身黑衣；卡皮坦神采奕奕，手中常常挥舞一把马刀；阿尔列金戴着黑色的面具，穿着带有彩色菱形格子的衣服。了解这些人物特征之后，相信你可以很轻松地分辨出谁是谁。

午休时间

下午一点到四点是意大利的午休时间，意大利人格外重视午休，尤其是在南部城市——办事处停止处理事务，商场暂停营业，餐厅也不再接待客人，所有店铺都关得严严实实。人们开始享受休息时光，回家吃一顿热腾腾的饭或者小睡一会儿。

意大利人简直无法想象没有午休的日子。

“午饭只能吃三明治？”“还要上班？”“没有午休？”“连午睡都没有？”

他们表示难以接受。

意大利人都是真正的美食家，吃汉堡、三明治这样的快餐可不是他们的风格。他们对美食的探索永无止境。在意大利，午餐是必须在家里和家人一起吃的。一餐完美的午饭，应该包含开胃菜（比如卡尔帕乔生牛肉片、马苏里拉奶酪配番茄）和热菜（通常是某种意面）。意大利人的字典里没有“匆忙”这个词，悠闲的午后时光起码要持续一个小时。

30 多年前，意大利人发起了慢餐运动，提倡缓慢进食，注重保养。慢餐运动致力于挽救地方特色食物，比如努比亚的红蒜、翁布里亚地区的黑芹菜或罗曼尼亚地区的杏李（杏和李子通过杂交产生的水果品种）。除此之外，慢餐运动还组织了厨艺课程，并对制作传统菜的餐厅进行扶持。

意大利人的口头禅是“悠闲，悠闲一点儿”。悠闲精神在意大利得到了发扬光大，人们甚至还成立了“悠闲生活艺术协会”。每年 2 月 25 日，协会成员走上街头向路人宣传“悠闲日”，并向那些行色匆匆的“不悠闲者”象征性地征收罚款。

意大利语小词典

buon giorno 你好

buona sera 晚上好

arrivederci 再见

a presto 一会儿见

buona notte 晚安

ciao 你好（非正式）

grazie 谢谢

mi scusi 对不起

via 街道

parcheggio 停车场

stazione 车站

aeroporto 机场

albergo 旅店

ristorante 餐厅

negozio 商店

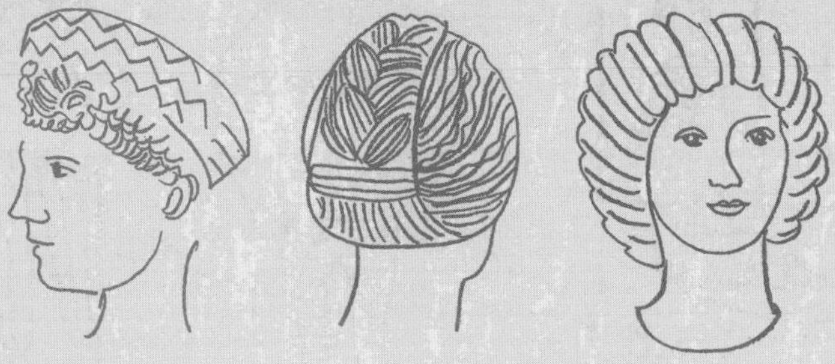

polizia　警察

dottore　医生

Mi chiamo...　我的名字叫作……

Non capisco.　我没听懂。

Come va?　最近怎么样?

Sto bene, grazie.　非常好，谢谢。

Sono malato. / Sono malata.　我感觉不舒服。

Quanto costa?　这个多少钱?

Dov'è il bagno?　洗手间在哪里?

Mi sono perso. / Mi sono persa.

我迷路了（男性用语）。/我迷路了（女性用语）。

Mi lasci, per favore!　请离我远一点儿。

Aiuto!　救命!

Tanti auguri!　衷心祝福您。

Baci e abracci!　吻你。

在庭院中

– ***Ciao Dario. Che bel cane che hai!***
–你好，达里奥。你的狗真好看。

– ***Non è cane. È un tigre.***
–这不是狗，这是老虎。

– ***Lo porti allo zoo?***
–你要带它去动物园吗?

– ***No, faremo una passeggiata. Vieni con noi?***
–不，我们要去散步，你要一起吗?

在街上

– Mi scusi, mi sono perso. Come si va al hotel Rialto?
–对不起，我迷路了，请问里亚托宾馆怎么走?

– È facile! Bisogna andare sempre dritto.
–直走就到了。

在商店里

Un chilo di mele, per favore.
–我要买一斤鸡蛋。

– Ma ragazzo, durante la siesta io non lavoro!
–对不起孩子，现在是午休时间，我们不营业。

面粉
牛奶
橄榄油
花生酱

美食小菜谱

试着做做看哟，必要时可以请爸爸妈妈帮忙。

咸甜蜜瓜火腿

食材：

蜜瓜半个，柠檬一个，帕尔马火腿三片。

制作方法：

1. 剔除蜜瓜籽。
2. 切下三块蜜瓜。
3. 在每块蜜瓜上撒少许盐。
4. 在瓜块上淋上柠檬汁，然后各放上一片火腿。

1
2
3
4

有嚼劲的"面包盛"

食材：

面包四片，番茄两个，橄榄油，盐，新鲜罗勒叶若干。

制作方法：

将切成小块的番茄放入碗中，撒少许盐调味，浇上橄榄油。

将面包片放入烤面包机里烘烤或用平底锅煎一下，然后刷上橄榄油。

把搅拌好的番茄块放在面包片上，最后用罗勒叶点缀一下。

美味的面包沙拉

食材：

干面包三片，番茄两个，橄榄油，盐，胡椒，新鲜罗勒叶若干。

制作方法：

将干面包片掰成小碎块，和切成丁的番茄一起放入碗中。

加入适量橄榄油、盐、胡椒和碎罗勒叶（用手撕碎而不要用刀切罗勒叶，金属会让罗勒叶切口的颜色变黑、味道变苦）。

1
2
3
4
5

愉悦心情的

食材：

面粉一勺，马斯卡彭奶酪 250 克，
小饼干 12 块，
蛋黄两个，糖一勺，浓缩咖啡一杯，
可可粉一勺。

制作方法：

将蛋黄、筛好的蓬松面粉和马斯卡彭奶酪搅拌均匀。

提拉米苏

加糖，倒入浓缩咖啡，搅匀后静待面糊冷却。

把两块在咖啡里泡软的小饼干放在容器底部，将面糊倒在上面。再将两块泡了咖啡的小饼干放在面糊上，再次倒上面糊，最后将可可粉撒在面糊上。

按照这个方法再制作两杯同样的提拉米苏，将三份提拉米苏放入冰箱静置一小时。

提拉米苏（Tiramisu）的名字由“Tira mi sù”这句话而来，意为“带我走”，意指吃了提拉米苏，就会感到心情愉悦。

食材：

橄榄油，迷迭香若干。

制作方法：

将橄榄油小心倒入放有迷迭香的深色瓶子中，几天后橄榄油就会散发出美妙的香气，食用时也会带有迷迭香的味道。

还可以根据自己的喜好，将迷迭香换成罗勒、蒜或辣椒。

迷迭香橄榄油

听说，橄榄油和迷迭香更配哟。

135

图书在版编目（CIP）数据

好想去旅行．意大利 /（波）莫妮卡·乌特尼克－斯特鲁加瓦著；（波）安娜·瓦德兹卡绘；刘桐羽译．-- 北京：中信出版社，2019.7（2022.1重印）

ISBN 978-7-5217-0516-4

Ⅰ．①好… Ⅱ．①莫… ②安… ③刘… Ⅲ．①世界－概况－儿童读物 ②意大利－概况－儿童读物 Ⅳ．① K91-49 ② K954.6-49

中国版本图书馆 CIP 数据核字 (2019) 第 082975 号

好想去旅行·意大利

著　　者：[波兰] 莫妮卡·乌特尼克–斯特鲁加瓦
绘　　者：[波兰] 安娜·瓦德兹卡
译　　者：刘桐羽
出版发行：中信出版集团股份有限公司
（北京市朝阳区惠新东街甲4号富盛大厦2座　邮编　100029）
承 印 者：鹤山雅图仕印刷有限公司

开　　本：787mm × 1092mm　1/16　　印　　张：9.75　　字　　数：130 千字
版　　次：2019年 7 月第1版　　印　　次：2022年 1 月第2次印刷
京权图字：01–2018–6364
审 图 号：GS（2019）1310号
书　　号：ISBN 978–7–5217–0516–4
定　　价：42.00 元

出　　品：中信儿童书店
图书策划：知学园
策划编辑：于姝　　责任编辑：程凤　　营销编辑：隋志萍　张超　常丽娜　李丽萍
封面设计：姜婷　　版式设计：谢佳静　　内文排版：王莹

服务热线：400–600–8099
投稿邮箱：author@citicpub.com

面粉
牛奶
橄榄油
花生酱